RATUS POCHE

COLLECTION DIRIGÉE PAR JEANINE ET JEAN GUION

En plus de l'histoire :
– des mots expliqués pour t'aider à lire,
– des dessins avec des questions
pour tester ta lecture.

● ● ● ● ● ● ● ● ● ● ● ● ● ●

© Hatier Paris 1998, ISSN 1259 4652, ISBN 2-218-72174-0

Sino fête
son anniversaire

Une histoire de Charles Milou
illustrée par Jean-Loup Benoit

HATIER

Sino le chien

Pédro le perroquet

Fanfan le lapin

Zoé la tortue

Les personnages de l'histoire

Dans deux jours, Sino aura six ans. Depuis une semaine, il dit :

– Ah ! bientôt j'aurai un an de plus.

Et il pousse un grand soupir…

– Bon, bon, ça va, dit Zoé. On a compris. On te le fêtera, ton anniversaire.

1

Quel sera le cadeau d'anniversaire de Sino ?

Zoé dit à ses amis :

– Nous aimons bien Sino. Il faut lui faire un cadeau. 2

– Invitons-le au restaurant, dit 3 Pédro.

Zoé est d'accord. Elle dit que Sino aime bien manger.

– Moi aussi, dit Fanfan. Si nous allons au restaurant, cela fera plaisir à tout le monde.

Trouve la commande de Zoé,
Pédro et Fanfan.

Voilà donc nos amis au restaurant.
Ils choisissent leur menu.

Pour Zoé et Pédro, c'est vite fait :
la tortue prend un peu de salade
verte et le perroquet des graines de
tournesol.   4

Fanfan hésite, puis commande   5
une douzaine de petites carottes.

Sino, lui, demande au garçon :

– Avez-vous quelque chose de bon
pour moi ?

– Bien sûr, Monsieur, répond le
garçon. Nous avons des boulettes   6
pour chiens.

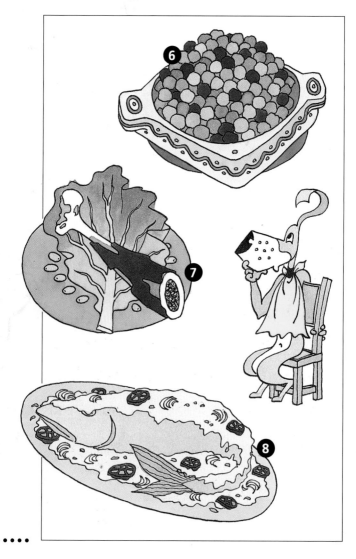

Que veut manger Sino ?

– Des boulettes ? dit Sino. Pas question que j'en mange pour ⁷ mon anniversaire !

– Mais ce sont de très jolies boulettes ! dit le garçon. Des roses, des bleues, des vertes. Nous avons même des boulettes blanches pour chasser les puces ! ⁸

– Je n'ai pas de puces, moi ! dit Sino en colère. Mais j'ai très faim. ⁹ Vous n'avez pas un os ? Dans un ¹⁰ restaurant, on doit avoir ça !

Où est le garçon qui prend la commande ?

– Donnez-moi un os de gigot, ¹¹
continue Sino. Un os avec un peu
de viande autour. ¹²

– Avec un peu de viande, répète le
garçon, comme si on lui demandait
la lune.

– Oui, avec de la viande et un
peu de gras au bout.

Le garçon répète :

– Monsieur veut un os avec de la
viande et un peu de gras au bout.
Et peut-être aussi avec un ruban
pour faire plus joli ?

*Quelles sont les boulettes
du restaurant ?*

— Non, Monsieur, continue le garçon. Ici, nous n'avons que des boulettes.

— Je sais, je sais, dit Sino, mais moi, je veux un os : un point, c'est tout. Vos boulettes, donnez-les aux chats.

— Mais, Monsieur, dit le garçon, ce sont des boulettes pour chiens, la meilleure marque : les papi-gouli. 13

— Moi, répond Sino, je veux un os. Mangez-les, vous, vos papi-au-lit !

Où est la boîte des boulettes servies dans ce restaurant ?

— Vous vous moquez de mes boulettes, dit le garçon. De si bonnes boulettes, faites avec de la viande de baleine !

14

— De la viande de baleine, répète Pédro. Quelle horreur !

15

— Faire de la pâtée pour chiens avec cette pauvre petite bête, vous n'avez pas honte ? dit Zoé.

— Cette petite bête, répond le garçon, est aussi grosse qu'une locomotive !

— Eh bien, dit Zoé, faites de la pâtée avec les locomotives, mais pas avec les baleines !

*Quel est le plat surprise
pour client difficile ?*

Le patron du restaurant arrive. Il regarde Sino avec un mauvais sourire.

– Ça ne va pas ? Monsieur n'est pas content ?

– Non, répond Sino. Je ne suis pas content du tout…

Le patron appelle le garçon et dit : 16

– Apportez donc à Monsieur le plat surprise pour client difficile. 17

Le garçon part, puis revient avec 18 un os superbe. Un os aussi beau, aussi gros, Sino n'en a jamais vu.

– Ça, dit Zoé, c'est un os pour champion !

19

Trouve Sino en train de manger
l'os du restaurant.

Sino noue sa serviette autour de son cou. Il se lèche les babines.

Le garçon pose l'os dans l'assiette de Sino en disant :

– Que le mastoc te croque, que le mastic te crique…

– Voilà un garçon très mal élevé, pense Sino. Bah ! Régalons-nous.

Et Sino mord dans son os à pleines dents…

– Pouah ! crie Sino, furieux. Ah, les tricheurs ! Ils m'ont donné un os en plastique, pour mon anniversaire !

Avec quoi Sino a-t-il payé sa note ?

Fanfan, Zoé et Pédro sont désolés.

– Attendez, dit Sino, vous allez voir !

Notre ami appelle le garçon. Il lui demande la note.

– Vous devez dix francs ! dit le garçon.

Sino met une pièce sur la table.

Le garçon prend la pièce et s'écrit : 20

– Mais, Monsieur, c'est une pièce en chocolat !

– Et alors ? répond Sino. Une pièce en chocolat, je trouve que c'est très bien pour payer un os en plastique. 21

Et nos amis s'en vont en riant aux éclats.

2

un **cadeau**

3

un **restaurant**

4

des **graines de tournesol**

1

anniversaire
C'est son anniversaire.

5
il **hésite**

il prend
une **commande**

6
des **boulettes**
pour chiens

7
– **Pas question !**

8
les **puces**
(on prononce :
pu-se)

9
faim
(on prononce :
fin)

10
un **os**

11
donnez
(on prononce :
do-né)

du **gigot**
(on prononce :
ji-go)

12
la **viande**
(on prononce :
vi.an-de)

13
la **meilleure**
(on prononce :
mè-ieu-re)

la **marque**
C'est le nom.

14
une **baleine**

15
quelle
(on prononce :
kè-le)

16
il **appelle**
(on prononce :
a-pè-le)

17
un **client**
(on prononce :
cli.ian)

18
il **part**

il **revient**

19
un **champion**
(on prononce :
chan-pi.on)

20
il **s'écrit**
Il dit.

21
payer
(on prononce :
pai-ié)

1 Le robot
de Ratus

Ratus a un robot pour faire
peur à ses voisins les chats.

2 Tico
fait du vélo

Tico a un joli vélo qui va
beaucoup trop vite...

3 Les champignons
de Ratus

Ratus ramasse des
champignons vénéneux !

4 Tico aime
les flaques d'eau

C'est amusant de sauter
dans les flaques d'eau !

5 Sino et Fanfan
au cinéma

Devant nos amis,
il y a une chèvre…

6 Ratus raconte
ses vacances

En vacances, Ratus est
capturé par des pirates…

7 Le cadeau
de Mamie Ratus

On vole les fromages
de Ratus ! Sa grand-mère
va l'aider...

8 Ratus
et la télévision

Ratus a acheté une télé.
Mais pourquoi est-il furieux ?

9 Le trésor
du tilleul

Mistouflette et ses amis vont
découvrir un curieux trésor...

10 Ralette
au feu d'artifice

Une sorcière s'est penchée
sur le berceau de Ralette.

11 Ralette
fait des crêpes

Ralette fait sauter
une crêpe, très haut !

12 Le bonhomme
qui souffle le vent

Gare à ceux qui se trouvent
sur son chemin !

13 Ralette
fait du camping

Ralette a planté sa tente
trop près d'un torrent…